「非物質文化遺產」繪本系列

觸一觸·萬事通

奶茶涼茶  的 故事

爸爸買了新的智能電話，薄薄一片，功能多樣，真神奇！

平時不多説話的二姐阿呆，留意到爸爸對着電話，
説一個名字後問問題，電話就會説出答案。

阿呆模仿爸爸，雙手按着面前的一杯奶茶，
準備學爸爸向電話問問題。

湊巧貓兒菠蘿經過，阿呆心想：
「菠蘿菠蘿，這是甚麼？」

在阿呆腦海中湧出了奶茶的資料：

深受香港平民百姓喜愛的「絲襪奶茶」，
就是港式奶茶。港式奶茶是香港獨有的沖泡
奶茶方法，因為泡茶的白布袋經長期沖泡後，
被茶漬染成啡黃色，好像女性用的絲襪，
因此俗稱「絲襪奶茶」。

在香港人喜歡的「港式茶餐廳」和「大牌檔」
用餐、享用下午茶時，很多客人都會點
一杯港式奶茶。

好的港式奶茶的標準是：香、濃、滑。

接着，阿呆的腦海中出現了其中一位沖茶師傅炮製絲襪奶茶的程序：

先用鍟壺注入清水，並將水煮沸

在另一鍟壺口固定一個
用來放茶葉的布袋

將茶葉放入布袋，然後將另一壺的
沸開水「撞」入茶袋內

瞬即提起茶袋，讓茶漏入
銻壺內

然後將茶壺放在電爐上約 10 分鐘　　　重複將茶在兩個銻壺間
　　　　　　　　　　　　　　　　　　　輪流「撞」3 至 4 次

讓茶在壺內焗 2 分鐘，就完成了
泡茶的步驟

最後「畫龍點睛」的步驟是「撞奶」：
按不同沖茶師傅的習慣
「先（放）奶後（加）茶」或者
「先（放）茶後（加）奶」！

雙手一按便知道相關資料，太神奇了！
阿呆馬上按着面前的碟子，
心想：「這是甚麼？」腦海中沒有反應。

阿呆想了一想，
難道「菠蘿菠蘿，這是甚麼？」
是開啓訊息的密碼？

這時，媽媽剛端出涼茶，阿呆馬上雙手捧着碗，
心裏唸着「菠蘿菠蘿，這是甚麼？」奇妙的事又出現了，
首先在腦海出現的是上世紀 50-60 年代涼茶舖的景象。

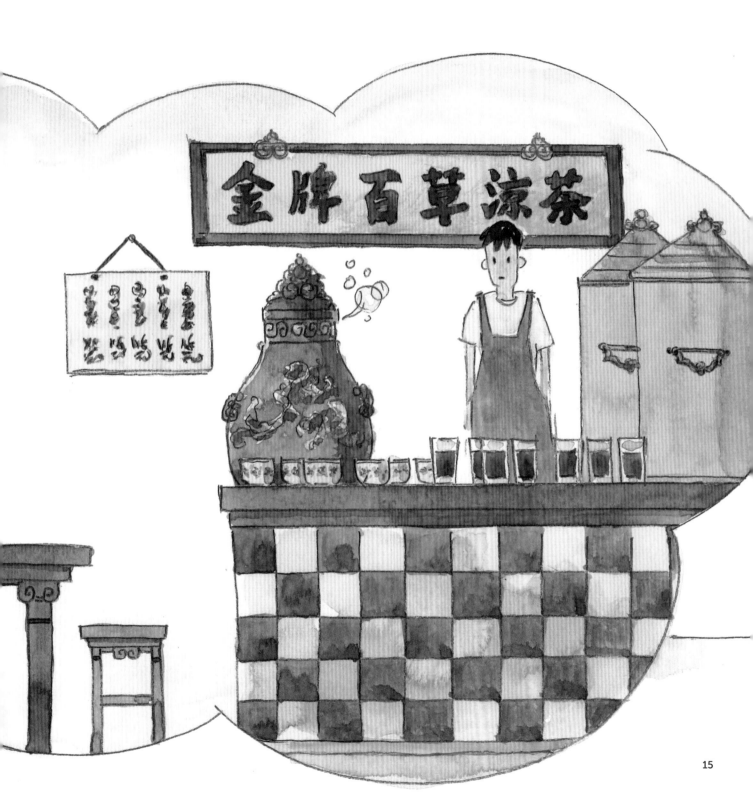

阿呆的腦中還出現了涼茶的資料：傳說涼茶源於嘗百草的
神農氏，已有幾千年的歷史。嶺南地區多雨又潮濕，
老百姓為了適應晴雨多變和四季不同的氣候，
便採集不同的草藥，配製了多款配料、味道不同的涼茶。
涼茶有消暑、清熱、解毒的功效，有助祛除人體內的濕熱。

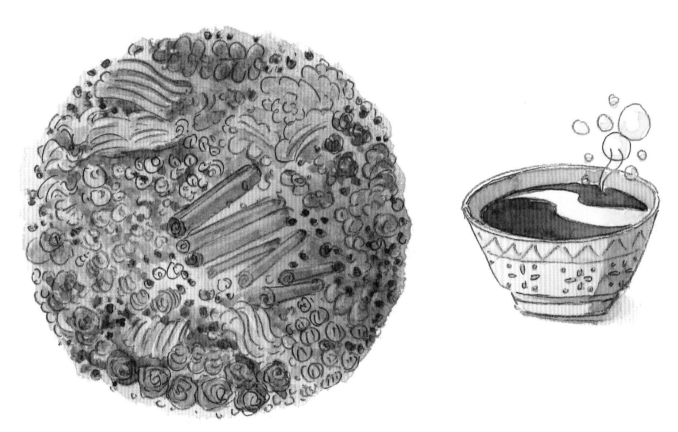

涼茶有不同的款式，是草本藥方製成的湯劑，
主要的材料是植物，包括：樹根、樹葉、樹皮、
花和種子。涼茶有不同的藥性、氣味及顏色，
常見是黑色、棕色等較深的顏色。

涼茶的功效，主要分為三類：生津止渴、
清熱解毒、瀉火除濕，顧客可按體質和需要，
選取適合自己的涼茶。飲用涼茶有助預防
疾病，保健及調理身體。

平民百姓經常飲用的涼茶，包括：廿四味、崩大碗、火麻仁、夏桑菊、五花茶等。

不同的涼茶功能可不一樣，例如：百花蛇舌草清熱、龜苓膏（或茶）清熱毒、五花茶祛濕、火麻仁滑大腸、桑寄生蓮子蛋茶舒筋活絡、菊花茶明目、羅漢果茶化痰止咳。

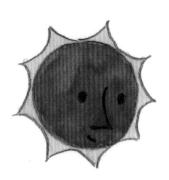

在炎熱的夏天，除了在涼茶舖飲用涼茶，
不少家庭主婦也會在家煲製消暑的涼茶，
包括：五花茶、菊花茶、竹蔗茅根水等，
供一家人飲用！

經過奶茶和涼茶的實驗，
阿呆肯定「菠蘿菠蘿，這是甚麼？」
是開啓訊息的密碼！
貓兒菠蘿在牆角咧嘴笑笑，眨眨眼睛！

有了「觸感通」，遇上阿呆想知道的事情，她伸手一碰，
默唸「菠蘿菠蘿，這是甚麼？」馬上便可知道，
那樣物件或者那個人的資訊！

但是，每次阿呆腦中出現資訊時，大家看到她，
就覺得阿呆發呆的情況愈來愈嚴重！每次學校派成績表，
老師總會向爸爸、媽媽提出這樣的疑問：「阿呆經常在上課時
發呆，好像精神難以集中！？有時候甚至要大聲叫她，
她才會回應！」

但在家中，阿呆卻是兄弟姐妹中的超級搜索器！只要碰一碰，
阿呆便可以將事情説明白，比用電腦在互聯網上查資料更快、更準確！

香港非物質文化遺產清單

根據《保護非物質文化遺產公約》的規定，香港特別行政區政府於 2014 年公布了包括 480 個項目的第一份香港非物質文化遺產（非遺）清單，作為保護香港非遺項目的基礎。

香港非物質文化遺產代表作名錄

香港特別行政區政府於 2017 年公布了一個總共有 20 個項目的「香港非物質文化遺產代表作名錄」，為政府就保護香港非遺項目時，在分配資源和採取保護措施訂立緩急先後次序提供參考依據。

非遺項目的詳細資料
可參考香港非物質文化遺產資料庫

港式奶茶

涼茶

「非物質文化遺產」繪本系列

觸一觸‧萬事通
奶茶涼茶的故事

籌劃 ： 非物質文化遺產辦事處
合作伙伴 ： 伍自禎
作者 ： 亞麗莎（岑金倩）
編輯 ： 阿豆
插畫 ： 易達華
美術設計 ： Circle Design

出版 ：
藍藍的天有限公司
香港九龍觀塘鯉魚門道 2 號新城工商中心 212 室
電話 ： (852) 2234 6424
傳真 ： (852) 2234 5410
電郵 ： info@bbluesky.com

代理及發行 ：
草田
網址 ： www.ggrassy.com
電郵 ： info@ggrassy.com
Facebook 專頁 ： https://www.facebook.com/ggrassy

出版日期 ： 2022 年 1 月

國際統一書號 ISBN ： 978-988-74911-7-0
定價 ： 港幣 80 元